http://www.casterman.com

D'après les personnages créés par Gilbert Delahaye et Marcel Marlier / Léaucour Création.
Achevé d'imprimer en janvier 2015, en Espagne. Dépôt légal : octobre 2013 ; D. 2013/0053/245.
Déposé au ministère de la Justice, Paris (loi n° 49.956 du 16 juillet 1949 sur les publications destinées à la jeunesse).

ISBN 978-2-203-07496-5
N° d'édition: L.10EJCN000370.C003

martine

petites histoires pour rêver

GILBERT DELAHAYE - MARCEL MARLIER

martine

fait du théâtre

Dehors il fait froid. Le vent siffle dans les branches.

Les feuilles mortes s'envolent. Les parapluies se retournent.

Sur la route, un petit chien s'ennuie et les gens se dépêchent de rentrer
à la maison.

Mais où sont Martine et ses petits camarades ?

Martine, Jean et leurs amis sont allés se mettre à l'abri dans le grenier.

C'est un endroit merveilleux pour jouer quand il fait mauvais temps.

Et puis on y trouve une poupée endormie dans sa voiture, un cheval de

bois coiffé d'un chapeau de paille, un vieux piano, un fauteuil,

une auto à pédales et toutes sortes de choses amusantes.

– Venez voir, les amis, j'ai découvert ce coffre dans un coin.

– **Comme il est lourd !** Tu ne sais pas l'ouvrir ?

– Je n'ai pas la clef, dit Martine. Regardons par le trou de la serrure.

Que peut-il bien y avoir dans ce coffre ? Un trésor, des jouets,

des livres d'images ?

– Voilà, j'ai trouvé la clef.

– Ouvrons le coffre, dit Jean.

Clic, clac, le couvercle se soulève… **Oh !** les beaux rubans, les chapeaux de paille, les jolis costumes !

Voici des robes, des parures, des foulards multicolores.

– J'ai une idée : Voulez-vous jouer avec moi ? dit Martine.

Nous allons faire du théâtre.

Et chacun de se mettre à l'ouvrage.

– Martine, essaie donc cette robe !… Comme tu es jolie !

On dirait une princesse avec son éventail et ses boucles d'oreilles !

Bernard prépare les décors. Jean apporte le cheval de bois, le fauteuil…

Enfin, tout est prêt. Les décors sont en place. Le grenier ressemble
à un vrai théâtre.

Toc… toc… toc… la séance va commencer.

La scène se passe dans un vieux château.

Martine, qui joue le rôle de la princesse, fait semblant de dormir

sur son lit. Patapouf est allongé à ses pieds. La cuisinière, le marmiton et

les gardes se reposent. Pas un bruit. On entendrait une souris grignoter

dans l'armoire.

Quand les amis de Martine vont-ils se réveiller ?

On dirait qu'ils attendent quelqu'un depuis des jours et des jours…

Et savez-vous ce qu'ils attendent depuis si longtemps ?

Ils attendent le prince Joyeux qui revient de la guerre sur son cheval de bataille. Il porte à son côté Lame-de-bois, sa fidèle épée avec laquelle il a vaincu trois généraux.

Depuis deux jours, Longues-Jambes, son cheval, galope à travers la campagne sans manger, sans boire et sans jamais s'arrêter.

Enfin le prince Joyeux arrive au château. Il ouvre doucement la porte de la salle et demande :

– **Où est la princesse ?**

Martine se relève :

– **C'est moi,** dit-elle en se frottant les yeux.

Et Patapouf aussitôt de sauter de joie.

La cuisinière, le marmiton, les gardes, tout le monde se réveille.

Car le prince, à l'occasion de son retour, a décidé de couronner
la princesse.

Il monte sur l'estrade accompagné de son page et de son écuyer.

On l'applaudit très fort :

– **Vive le prince, vive le prince !**

Dans ses bagages, il a rapporté une couronne ornée de diamants.

Il la pose sur la tête de Martine.

– **Vive la princesse, vive la princesse !**

Après quoi il ordonne de préparer le bal.

On attache guirlandes et drapeaux. Les lanternes vénitiennes se balancent partout. Celle-ci ressemble à un accordéon.

Celle-là est toute ronde comme un ballon de football.

– Veux-tu tenir l'échelle ? demande Bernard.

– Je la tiens bien. Tu ne dois pas avoir peur.

Pendant ce temps, la princesse est allée chez la modiste avec sa demoiselle de compagnie.

– Voilà de quoi se parer pour le bal.

– Essayons les chapeaux.

– Comme ils sont drôles, tous ces chapeaux garnis de fleurs et de plumes d'autruche. Je préfère celui-là, avec des cerises.

– Moi, je crois que celui-ci me va très bien, dit Marie-Claire.

– Pour qui la jolie moustache ?

– Pour moi, dit Jean.

– Alors, je prendrai la perruque.

– Dépêchez-vous, dit Martine. Il ne faut pas faire attendre le prince…
Et Patapouf, qu'allons-nous mettre à Patapouf ?… **Ah !** j'ai trouvé.
Nous lui mettrons cette paire de lunettes et ce gros nœud de velours.
Regarde-moi bien, Patapouf… Voilà, tu es un véritable personnage.
C'est très important pour un petit chien comme toi.

Et maintenant le bal commence.

Tout le monde se donne la main pour faire la ronde.

Philippe souffle dans son flageolet :

> *Les mirlitons, ton ton, tontaine,*
> *les mirlitons, ton ton,*
> *font danser le roi et la reine,*
> *font danser tous en rond.*

Les confettis pleuvent. Martine en a plein les cheveux. Les serpentins volent à droite, à gauche. On se croirait au carnaval.

À force de tourner autour du fauteuil, Patapouf s'est entortillé dans les serpentins. En voici un qui se noue à son cou. Un autre le retient par la patte.

Comment faire pour s'en débarrasser ?

Patapouf se débat. Il tire de toutes ses forces.

Heureusement, Françoise arrive à son secours.

– En l'honneur de la princesse, je vais jouer un petit air de musique, dit
Bernard.

– **Bravo,** c'est une chouette idée !

Bernard dépose son chapeau sur le piano. Puis il s'assied
avec précaution pour ne pas chiffonner son costume de gala.

« **Do, mi, fa, sol, do.** » La jolie musique ! tout le monde écoute
avec admiration.

Après la fête, il faut retourner au palais.

– Je vais atteler Longues-Jambes, dit l'écuyer. Que Sa Majesté
veuille bien prendre place dans la calèche.

Martine, Bernard, Françoise et Philippe s'installent dans la voiture.

– Attention, nous allons partir !

Les mouchoirs s'agitent. Le fouet claque, la calèche démarre…
et le rideau se ferme.

La pièce est terminée. Adieu prince, adieu princesse !

Chacun se déshabille. On enlève les décors.

– **Bravo, Martine, tu as bien joué !** Tu étais une vraie princesse !

dit Marie-Claire… Est-ce que je pourrai garder mon chapeau ?

– Bien sûr, répond Martine. Mais il ne faut pas l'abîmer. Tu en auras

besoin la prochaine fois que nous viendrons jouer dans le grenier.

GILBERT DELAHAYE - MARCEL MARLIER

martine

monte à cheval

Martine est venue prendre des leçons d'équitation chez l'oncle Philippe,
celui qui élève des chevaux.

– Voici les ancêtres de mes pur-sang, dit l'oncle en montrant
les tableaux du salon. Ici, Mustang, là, Centaure et Ramsès II. N'est-ce
pas qu'ils sont magnifiques ?

Mais Martine, tu as certainement envie d'aller visiter les écuries ? Je vais
appeler ton cousin.

Justement, voici le cousin Gilles qui traverse la cour. Il revient
du village où il a été acheter une selle.

– Bonjour, Martine, bonjour Patapouf… Tu vois, nous avons un nouveau
lévrier. J'espère que vous allez bien vous entendre tous les trois.

Patapouf agite la queue pour saluer son nouvel ami.

– Si tu veux, nous irons voir les chevaux tout de suite, dit le cousin Gilles
à Martine.

– Oh oui, je veux bien, répond celle-ci.

À la porte de l'écurie, deux chevaux attendent les visiteurs.

Ce sont Vulcain et Cyclope.

L'un est bai et l'autre gris. Vulcain aime beaucoup les caresses. Cyclope se méfie des petits chiens qu'il ne connaît pas.

Il hennit et tape du pied.

– Est-ce qu'ils sont punis ? demande Patapouf.

– Mais non, répondent les moineaux, ils ont été à l'entraînement et ils se reposent.

– Qu'y a-t-il dans ce box ? demande Martine.

– C'est la jument Pénélope, celle qui courait toujours après Patapouf. Elle attend un petit poulain, répond le cousin Gilles.

– Est-ce qu'on peut la voir ?

– Oh non, elle est trop fatiguée. Il ne faut surtout pas la déranger. Mais ça ne fait rien, quand elle aura son poulain, tu pourras venir lui dire bonjour avec Patapouf.

– Il faudra de la paille pour le poulain, dit le cousin Gilles.

– Eh bien, allons en chercher tout de suite. Je vais t'aider si tu veux.
Voilà une brouette qui fera mon affaire.

La paille est dans la grange. Dans la paille, une souris vient de sortir de
sa cachette.

Patapouf poursuit la souris jusque dans la cour.

Et dans la cour, il y a… encore un cheval !

– Je ne suis pas un cheval. Je suis le poney Califourchon, dit l'animal vexé.

– Moi, je suis Patapouf le chien. Et voici ma maîtresse Martine.

– C'est une amazone ?

– Une amazone ? Pour quoi faire ?

– On voit bien que tu ne connais pas grand-chose, dit le poney Califourchon.

Pan, pan, pan… C'est le garçon d'écurie qui met un nouveau fer au sabot du cheval Météore, l'arrière-petit-fils de Ramsès II et le favori de l'oncle Philippe.

– Ça lui fait mal quand on lui enfonce un clou dans le pied ? demande Patapouf.

– Pas du tout, répond le lévrier, parce que le clou s'enfonce dans la corne.

– Veux-tu essayer de monter à cheval ? demande le cousin Gilles à Martine.

– Oui, j'aimerais bien… Que fais-tu là ?

– Eh bien, je suis occupé à seller Pâquerette. C'est la jument la plus docile de l'oncle Philippe.

« Tiens, un cheval qu'on habille », se dit Patapouf.

La selle, les rênes, les étriers, tout est en ordre. Il ne reste plus qu'à vérifier la sangle.

– Voilà, tu peux monter, Martine… Non, pas comme ça…

Il faut mettre le pied dans l'étrier.

– Ça n'est pas facile de monter à cheval.

– Je vais t'aider, dit le cousin Gilles.

Pour apprendre à conduire un cheval, il faut faire de l'exercice.

Une, deux, une, deux, Pâquerette tourne autour du manège.

– Elle va s'emballer, dit Martine.

– Mais non, puisque je la tiens par la longe.

– Pas si vite, pas si vite, dit Martine.

Ce n'est pas ainsi qu'on se tient à cheval, mais demain ça ira beaucoup mieux.

Le lendemain, Martine a fait des progrès et le troisième jour,
encore davantage. Pâquerette est devenue son cheval préféré. Chaque
matin, la jument attend son morceau de sucre à la barrière. Quand elle voit
arriver sa nouvelle maîtresse, elle fait un grand salut en secouant la tête.

Après un long entraînement, Martine est devenue une excellente cavalière. Elle se promène à travers la campagne. Elle est tout à fait à l'aise sur sa jument.

On l'entend venir de loin. On se retourne sur son passage :

– Avez-vous vu passer Martine sur son cheval ?

– Oui, elle va aussi vite que le vent.

Quand Pâquerette descend la colline au galop, les merles s'envolent, le lièvre détale, les papillons zigzaguent comme des fous dans le soleil.

Pâquerette s'arrête au bord du ruisseau.

– Ne bois pas trop vite, dit Martine à sa jument, sinon, tu pourrais être malade.

Mais qui voilà ? C'est Patapouf et le lévrier du cousin Gilles qui arrivent tout essoufflés.

– Eh bien, d'où venez-vous ?

– On s'ennuyait à la maison… Alors… on vous a suivis…

dit Patapouf, hors d'haleine.

Aujourd'hui, c'est un grand jour pour Martine.

Au village, il y a un concours d'équitation organisé par le club de
l'Éperon d'Or et elle voudrait bien emporter le premier prix.

Pour cela, il faut que Pâquerette ait fière allure. Martine monte sur une
chaise, brosse la jument, peigne sa crinière.

– Surtout, ne bouge pas. Je n'en ai pas pour longtemps.

Tu seras belle, belle…

Le concours est commencé. Les concurrents sont venus de tous les villages environnants. à présent, c'est le tour de Martine.

La voilà qui arrive sur sa jument. Il s'agit de sauter la barrière sans la faire tomber. Pourvu que Pâquerette réussisse !...

Hop, voilà qui est fait.

Heureusement que Pâquerette ne s'est pas arrêtée devant les obstacles.
Il y en avait encore une dizaine à franchir. Et c'est Martine qui a obtenu
presque tous les points. On annonce au micro :

– **Premier prix, Mademoiselle Martine.**

Le président du jury se lève :

– Voici la coupe offerte par le club de l'Éperon d'Or, dit-il.

Je vous félicite.

On applaudit. Les journalistes arrivent :

– Comment s'appelle votre cheval ?

– Une photo, s'il vous plaît, pour l'Hippodrome.

Martine est bien contente. Elle caresse Pâquerette.

Elle pense à l'oncle Philippe et au cousin Gilles, qui ont été si gentils

pour elle. Sans eux, comment aurait-elle fait pour apprendre à monter à

cheval ?

GILBERT DELAHAYE - MARCEL MARLIER

martine

en bateau

Martine part aujourd'hui pour New York. Miss Daisy, son professeur d'anglais, l'accompagne.

Les amis d'Amérique ont écrit dans leur lettre d'invitation : « Surtout, Martine, n'oublie pas ton petit chien Patapouf. On l'aime bien. Il est si gentil ! Ce serait dommage de le laisser à la maison ! »

Donc Martine et Miss Daisy s'embarquent avec Patapouf sur le paquebot.

Dans la cabine, Miss Daisy range les bagages. Martine fait la
connaissance de ses nouveaux amis.

– Je m'appelle Annie, dit une petite fille.

– Moi, Martine, et mon petit chien, Patapouf.

– Est-il sage ?

– Ça dépend, pas toujours… Regardez, je suis dans la cabine à côté de
la vôtre. Par le hublot, nous verrons la mer. Nous serons bien pour
dormir. Il y a deux couchettes… et un panier pour Patapouf.

Le bateau de Martine s'appelle La Martinique. On vient de le remettre à neuf. Il sent bon le goudron et la peinture fraîche. Ses fanions claquent dans le vent. Sa cheminée fume.

C'est l'heure du départ. Tous les passagers sont sur le pont. Ils font signe de la main. Pour Martine et ses amis, c'est un beau voyage qui commence.

Le navire est déjà loin sur la mer. Il disparaît à l'horizon. On n'aperçoit plus que son panache de fumée qui monte vers le ciel.

Les mouettes planent au-dessus des vagues. Le vent souffle à peine. On dirait que l'océan respire doucement, doucement, comme une grosse bête endormie. C'est le soir. Là-bas, de petits nuages roses se promènent sur la mer. Pour aller se coucher, ils attendent que les étoiles se lèvent. Le soleil s'enfonce dans les flots. Il est rouge comme un ballon.

Neuf heures du matin. Martine et ses amis sont déjà sur le pont. Il y a tant de choses à voir sur un navire… Mais voici le capitaine :

– **Bonjour, mes enfants !**

Il a l'air sérieux, le capitaine. C'est lui qui commande l'équipage.

Il ne faudrait pas que Patapouf fasse des bêtises, par exemple.

Justement, le voilà qui s'enfuit des cuisines. Il est allé fureter dans les
paniers de poissons. Quelle aventure ! Un homard est resté suspendu
par les pinces au bout de son museau.

Le cuisinier accourt, tout rouge encore du feu de ses fourneaux
étincelants.

– **Patapouf !... Patapouf !...** crie Martine.

Patapouf traverse le pont à toute vitesse. Les passagers se retournent.

Pauvre Patapouf, le voilà bien puni de sa curiosité !

Miss Daisy ne s'est pas mise en colère. Elle est allée se reposer dans sa cabine. Elle ne supporte pas le vent ni le soleil.

– Profitons-en pour visiter la salle des machines avec le chef mécanicien.

– Cette échelle est raide… prenez garde de glisser, mademoiselle Martine !

Cela n'est pas facile de descendre par ici !

Il ne manque rien sur ce paquebot : voici la piscine. Quel plaisir de plonger et de jouer au ballon dans l'eau !

Martine est une excellente nageuse.

Mais attention : les chiens ne sont pas autorisés à se baigner avec les enfants !

Midi. Miss Daisy emmène Martine au restaurant.

– Voici le menu, dit le maître d'hôtel :

Potage du jour.

Homard en Belle-Vue.

Poulet du chef.

Fromage. Dessert surprise. Café.

Quatorze heures. Il fait de plus en plus chaud. On n'entend plus que le bruit des hélices et le cri des mouettes.

Sur le pont, des passagers font la sieste. D'autres lisent des romans.

Ceux qui n'ont rien à faire regardent passer les nuages.

Martine rêve dans sa chaise longue : elle se croit déjà en Amérique, dans les rues de New York ou bien dans les plaines du Far West.

Annie, la copine de Martine, est venue la chercher pour jouer au volant :

– Voici les raquettes. C'est à toi de commencer. Le volant saute à droite,
saute à gauche.

– **Moi aussi, je vais l'attraper,** dit Patapouf.

Il bondit en l'air…

Une grosse vague secoue le navire.

Boum… Patapouf a manqué son élan. Il retombe sur le pont inférieur,

dans les bras de monsieur Dupont. Monsieur Dupont s'était endormi en

lisant un roman policier. Il roule de grands yeux et frise sa moustache :

– Je vais me plaindre au capitaine !

– Excusez-le, monsieur Dupont.

– Patapouf ne l'a pas fait exprès, dit Martine.

– Non, je ne l'ai pas fait exprès, semble ajouter Patapouf en agitant

la queue.

Mais voilà que le temps se gâte.

Des nuages noirs courent dans le ciel. Le vent souffle en rafales. La pluie tombe et le navire commence à rouler sur les flots.

On replie les chaises longues. Martine a mis son imperméable et son chapeau de toile cirée. Les vagues éclaboussent le pont. Le tonnerre se met à gronder tout à coup. Vite, il faut s'abriter !

C'est la tempête. Plus personne sur le pont. Les messieurs sont au bar.
Ils jouent aux cartes ou aux échecs. Les dames font la causette au salon
et les enfants lisent leurs livres d'images. Miss Daisy a mal à la tête.
Martine et Patapouf ne s'ennuient pas du tout. Les voici à la fenêtre de
leur cabine. À travers le hublot, ils regardent la pluie tomber et les flots
bondir sur la mer comme un troupeau de moutons.

Le beau temps est revenu. La tempête s'éloigne à l'horizon. La mer se calme. De tous côtés, l'océan s'étend à perte de vue.

Soudain, tout près du navire, quatre dauphins sautent par-dessus les vagues. On dirait qu'ils s'amusent à faire la course. Ce sont les amis des marins.

Une semaine plus tard.

Le navire fend les vagues à toute allure. On approche des côtes américaines.

Miss Daisy prépare les valises dans la cabine. Sur le pont, Martine a retrouvé son amie. Le capitaine lui a prêté ses jumelles. Annie demande :

– Que vois-tu là-bas, Martine ?

– Je vois des remorqueurs. Il y en a trois l'un derrière l'autre. Ils viennent à notre rencontre… Et puis, plus loin, je vois le port de New York.

New York. On vient d'amarrer le paquebot. Voici les grues géantes, les cargos ventrus, les gratte-ciel aux mille fenêtres. Le beau voyage en mer est terminé. Miss Daisy, Martine et Patapouf débarquent. Le cœur de Martine bat très vite. Sa petite amie est venue lui serrer la main :

– Au revoir, Martine, et bon voyage en Amérique !

GILBERT DELAHAYE - MARCEL MARLIER

martine

dans la forêt

Aujourd'hui, la moisson se termine. Martine aide le fermier à engranger la paille. Elle s'assied un instant pour se reposer lorsqu'un petit nez rose, frémissant, attire son attention. C'est un minuscule lapin de garenne, paralysé par la peur. Seule sa tête dépasse de la botte de paille qui l'emprisonne.

– Pauvre petit lapin, dit Martine en le libérant. C'est vraiment un miracle ! Comment as-tu pu échapper aux couteaux de la machine ? N'aie plus peur maintenant, je t'emmène à la maison.

Je t'appellerai Pinpin.

– Comme il est mignon, dit maman. Mais, j'y pense, il doit avoir faim !

– Je vais chercher un biberon, suggère Martine. Celui de ma poupée fera sûrement l'affaire.

Pinpin grandit rapidement. Martine s'amuse follement avec son nouvel ami. Il ne la quitte plus.

David et Sophie, les petits voisins de Martine, veillent tous les jours au ravitaillement de Pinpin : pissenlits, cosses de pois, épluchures de pommes…

– C'est curieux, le bout de son oreille est bleu, remarque Sophie. Tu aurais dû l'appeler Bleuet !

– Pinpin me paraît bien triste aujourd'hui, observe David.

– C'est vrai, admet Martine. Je commence à m'inquiéter :
depuis quelques jours, il a perdu l'appétit, il a le poil terne, ne se lave plus
et ne veut plus jouer !

– Je crois qu'il a besoin de grand air, remarque Sophie.

– Ce n'est pas un lapin domestique, c'est un lapin de garenne,
renchérit David, il ne supporte pas la captivité. Il faudrait lui rendre
la liberté.

– Je sais, dit Martine, mais je ne peux pas le relâcher n'importe où !
Grand-père dit toujours que lorsqu'on s'occupe d'un animal, on en
devient responsable !

Après le déjeuner, Martine prend résolument la direction de la forêt.

À la lisière du bois, un remue-ménage attire son attention :

– Regarde, Pinpin ! C'est la ronde des mésanges ! Chaque année,

à cette époque, elles se réunissent en bandes : mésanges

charbonnières, mésanges bleues, mésanges nonnettes, mésanges huppées…

même les roitelets participent à la ronde !

Ensemble ils ratissent les taillis et se gavent de petits insectes !

N'est-ce pas merveilleux ? Tu vas certainement te plaire ici ! Tu vois la vieille

barrière au bout du sentier ? C'est là que commence la forêt !

Le geai, ce braillard, qui voit tout,
entend tout, aperçoit Martine le
premier. Il clame à qui veut l'entendre :

– J'ai vu un chasseur ! Il a l'air féroce :
il a déjà capturé un lapin !

La forêt tout entière s'immobilise :

– Cachons-nous ! dit le renard.

– Fuyons ! dit la biche.

– Mais non, ce n'est pas un chasseur, rassure le rouge-gorge.
C'est Martine ! Je la connais bien !

Elle m'offre toujours de délicieux
vers de terre, au printemps,
lorsqu'elle bêche le jardin.

– C'est vrai, répond la mésange.
L'hiver, elle nourrit les animaux,
avec du lard et des graines.

Le tintamarre se calme peu à peu.
– Fausse alerte ! jacasse le geai.
C'est une amie, n'ayez
crainte !

– Suivons le ruisseau, propose Martine. De cette façon, nous ne risquons
pas de nous égarer. Attention, ça glisse ! Regarde, Pinpin !
des empreintes de blaireau, dit Martine au comble
de l'excitation. On raconte qu'une nuit, un blaireau
est descendu au village pour piller toutes
les vignes et se gaver de raisins !
Avec sa truffe noire et son gros derrière,
le père Martin l'avait pris pour un ours !
Il a eu très peur.
Et là, ces traces dans la vase, je les reconnais ;
Grand-père m'a montré les mêmes dans
le poulailler l'année dernière ; c'est une
belette. Elle profite de la nuit pour
égorger les poulets !

Ne restons pas ici, c'est un animal
dangereux pour les petits lapins !
– Quand je songe aux dangers que tu aurais
courus si je t'avais laissé ici, j'en ai froid
dans le dos !
Éloignons-nous vite, et surtout, ne te retourne
pas : un chat sauvage nous observe !

– Peut-être pourrions-nous nous arrêter ici,
propose Martine.

À peine a-t-elle prononcé ces mots
qu'une harde de sangliers surgit de
la souille en poussant des grognements.
Martine et Pinpin se précipitent vers
le tronc d'arbre qui enjambe la rivière.

– Avance, Pinpin ! Plus vite ! Ils ne nous
suivront pas ici !

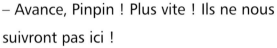

– Ouf, nous voici de l'autre côté.

– Eh bien, je ne pensais pas qu'il serait si difficile
de te relâcher dans la nature, soupire Martine un
peu découragée.

Martine et Pinpin observent
attentivement une petite
flamme rousse : un écureuil,
queue troussée, empanachée,
grignote un cône. Soudain, l'animal
lâche sa pomme de pin et disparaît dans
les cimes. Dans le coupe-feu, un groupe
de chasseurs progresse. Sans perdre un instant,
Martine s'enfuit dans la direction opposée.

Essoufflée, elle débouche dans une clairière où s'ébattent biches et cerfs. C'est la saison des amours. Le grand cerf aux bois puissants, renversant la tête en arrière, brâme aux quatre vents. Autour de lui, les biches frissonnent.

– Sauvez-vous ! Sauvez-vous ! les chasseurs arrivent ! crie Martine.

En un clin d'œil, la harde se disperse
et s'évanouit dans la nature.

– Décidément, la forêt est un endroit
bien dangereux pour un petit lapin
comme toi, observe Martine,
qui commence à désespérer de trouver
le lieu idéal.

Soudain, un ronronnement lointain lui fait
tourner la tête. C'est Julien le bûcheron
qui travaille sur la zone d'abattage.

– Si nous allions lui demander conseil ?
propose Martine. Il connaît bien la forêt,
il pourrait nous indiquer un endroit propice. Allons-y !

– Tiens, mais c'est mon amie Martine ! Que fais-tu donc ici ?
demande Julien. Je dois te gronder ! Ce n'est pas bien prudent de te
balader ainsi toute seule.

– Je cherche un coin sans danger pour y relâcher mon ami Pinpin, dit Martine qui lui raconte toute l'histoire.

– Je connais un bon endroit, à la corne du bois, dit Julien après réflexion.

Grimpe sur le tracteur si tu n'as pas peur.

Ma journée est presque terminée, je t'y déposerai en rentrant au village.

En chemin, Julien explique à Martine :

– Ce qu'il faut à ton lapin, c'est une garenne comme ici, où il pourra retrouver d'autres lapins.

– Regarde ces terriers ! Et il y a même des mûres ! Tu vas te régaler. C'est l'endroit rêvé, s'émerveille Martine.

Martine a déposé Pinpin sur une souche. Elle lui fait ses dernières recommandations :

– Surtout, sois prudent, Pinpin. Ne t'aventure plus dans la forêt. Évite le grand-duc et le faucon, méfie-toi de l'épervier, de la fouine et du putois, et aussi du renard ! Je reviendrai te voir, c'est promis !

Le soir tombe. Martine doit reprendre le chemin de la maison. Pinpin, immobile, la regarde s'éloigner.

En dépassant Martine à l'orée du bois, à la lisière des champs, Julien lui a fait promettre de rentrer au plus vite à la maison, avant la tombée de la nuit.

Quelques mois plus tard, un matin de décembre, Martine reprend le chemin de la garenne. La nature frissonne sous son manteau de givre. Les bûcherons ont allumé un brasero et plaisantent autour du feu.

Martine poursuit son chemin. Les feuilles gelées craquent sous ses pas.

– Pinpin ! Pinpin ! appelle Martine.

Effrayée par ses cris, une ribambelle de lapins
se disperse dans la garenne.

Martine a cru entrevoir un petit bout d'oreille bleue
entre les hautes herbes.

– Il aurait quand même pu me dire bonjour !
pense Martine un peu déçue.
Et puis tant pis ! Je ne vais pas pleurer pour un
petit lapin de rien du tout !

GILBERT DELAHAYE - MARCEL MARLIER

martine

se déguise

Ce matin au courrier, il y a une
lettre pour Martine. Elle est
invitée à un bal costumé qui
aura lieu dans deux semaines.
– Comme je suis contente !
pense Martine en lisant
la nouvelle.

La joie l'envahit.
Elle se sent des
picotements plein
les bras et les jambes.
En même temps, elle a envie
de rire, de chanter,
de danser.

Il n'y a qu'un seul problème : comment va-t-elle se déguiser.

Alors elle réfléchit. A-t-elle envie de devenir fée, bergère, princesse,

marquise, chat, clown, Indien, sucette géante ou pièce montée ?

Le choix est bien difficile et elle hésite :

– Que feriez-vous à ma place ? demande-t-elle à Moustache

et Patapouf.

Ceux-ci n'ont pas d'idée sur la question. Ils secouent la tête.

– Si nous prenions conseil auprès de mademoiselle Hortense,

propose maman qui a tout entendu. Mademoiselle Hortense

est couturière. Mais ce n'est pas une couturière

comme les autres : elle n'habille

que les comédiens et les acteurs,

ces gens qui jouent au théâtre

ou au cinéma.

Chez elle s'entassent

robes, habits et

chapeaux

en tout genre.

Martine saute de plaisir à la perspective
de fouiller dans ce trésor :

– S'il te plaît, Maman, allons-y maintenant !
dit-elle.

Mademoiselle Hortense habite une vieille
maison aussi étrange que ses chapeaux.
Une maison à colombage avec des géraniums
aux fenêtres et une porte mauve.
C'est joli une porte mauve.
Dans l'escalier en colimaçon, une ribambelle
de nuages courent sur le papier bleu de la tapisserie.
Une odeur de vanille flotte dans l'air.

Maman explique le but de leur visite.

– J'ai ce qu'il vous faut, répond mademoiselle Hortense. L'année

dernière, on m'a commandé des costumes pour une pièce d'enfants mais

personne n'est venu les chercher. Depuis, je les loue…

Viens les voir, mignonne.

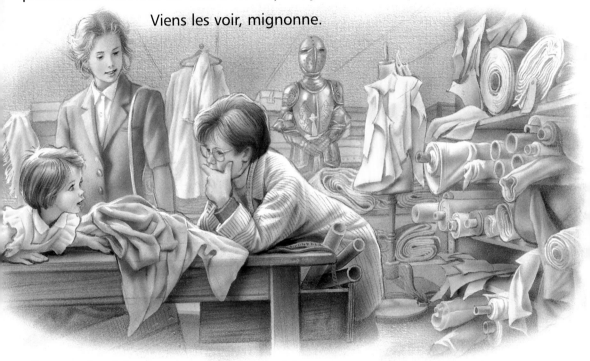

Elle entraîne Martine dans la pièce voisine :

– Voilà… Veux-tu te transformer en luciole ou en ver luisant ?

Préfères-tu être une pâquerette, une coccinelle, un papillon,

une jonquille… ? J'ai tout ce qu'il te faut.

– Oh ! s'exclame maman. Je l'imagine bien en jonquille.

Il y a un chapeau en pétales de satin jaune avec une jupe de feuilles vertes

et un collant vert. Mais Martine, ravie, a aperçu la longue jupe d'une

tulipe rose.

– Comme elle est belle ! murmure-t-elle.

Quelques perles transparentes
remplacent les gouttes de rosée.
La petite fille tend la main
pour les caresser.
Mademoiselle Hortense sourit :
– Je vous prête les deux costumes.
Vous choisirez tranquillement
chez vous, dit-elle.
Elle est trop gentille.
Martine l'embrasse.
– Prenez donc une tasse
de chocolat avant de repartir, propose
encore mademoiselle Hortense.

Les voilà installées autour d'une table ronde couverte d'une nappe brodée. Un vieux monsieur venu essayer un costume de marquis arrive avec un gâteau et s'invite. C'est un voisin, un comédien.

Le temps passe vite en sa compagnie, mais soudain maman se lève :

– Nous devons rentrer, maintenant, dit-elle. Merci pour ce bon moment.

Mademoiselle Hortense enveloppe
les costumes. Martine porte
fièrement le paquet dans la rue et,
en arrivant à la maison, maman
l'autorise à faire ses essayages
devant le miroir de sa chambre.
– Je prépare le dîner et je reviens
te voir, dit-elle.
Martine reste seule avec
Moustache et Patapouf.

– **Préférez-vous la jonquille ou la tulipe ?** leur demande-t-elle. Ils ne savent pas, ils aiment les deux. D'ailleurs, ils ont toujours pensé que leur petite maîtresse ressemblait à une fleur.

Martine soupire, hésite, tergiverse... La jonquille est très jolie mais sa jupe courte a décidément une drôle de forme :

– **J'ai l'air d'avoir des pattes de mouche avec ce collant vert... et même, je ressemble à une grenouille...** La longue robe de la tulipe est plus belle.

Martine caresse doucement le satin,
tourne, retourne et virevolte à travers
la chambre. Soudain elle s'affole en
voyant une déchirure au-dessus de
l'ourlet. Est-ce un cauchemar ? **Non**,
il y a un accroc de cinq centimètres
au moins dans le bas de la jupe.

– **Ce n'est pas moi !** dit Patapouf.

– **Ni moi…** ajoute Moustache.

La petite fille ne les écoute pas. Son visage s'empourpre. Comment s'est-elle débrouillée pour abîmer le costume ? Sans faire exprès, elle a dû l'accrocher au talon de sa chaussure… Les larmes lui montent aux yeux. D'habitude elle n'est pas si maladroite. Et maintenant, comment avouer sa bêtise ? Maman sera mécontente et mademoiselle Hortense croira qu'elle ne prend pas soin des affaires des autres. Quelle histoire ! Il faut réparer les dégâts très vite. Martine court chercher sa boîte à couture. Puis elle enlève la jupe, la met sur l'envers, s'applique à coudre de tout petits points pour fermer la déchirure. Heureusement, elle a du fil rose de la même teinte que le tissu, mais Moustache la gêne en essayant de la consoler.

Ce n'est vraiment pas facile.

L'aiguille glisse dans le satin…

elle se pique !

– **Zut et zut !**…

Elle s'énerve, sort un petit bout

de langue…

Enfin, elle a terminé.

– **Tu as choisi ?** questionne maman

en passant la tête dans l'ouverture de la porte.

– **Non,** répond Martine en cachant sa boîte à couture.

– Tu veux que je t'aide à te décider ?

– Pas la peine, ces costumes ne me plaisent plus. Je préfère les rapporter.

– Mais que mettras-tu le jour de la fête ? s'étonne maman.

– Je n'irai pas à la fête.

Maman est de plus en plus surprise. Elle fronce les sourcils mais

ne questionne pas davantage. Puis, elle retourne surveiller son gâteau

à la cuisine.

– Je cours chez mademoiselle Hortense et je reviens !

crie Martine en sortant.

– Reste bien sur le trottoir, répond maman.

Martine promet. Elle a une grosse boule dans la gorge.

Dans la rue, elle marche lentement,

tourne à gauche au premier carrefour,

fait attention en traversant.

Voilà déjà la porte mauve,

l'escalier, les nuages

sur le papier bleu,

l'odeur de vanille.

Mademoiselle Hortense

est là-haut, occupée

à sa machine à coudre.

Martine voudrait

lui expliquer la vérité,

s'excuser.

Mais elle a trop envie

de pleurer pour parler.

Alors, elle pose le paquet

sur la table et se sauve

sans un mot.

Dehors, elle hésite. Elle n'a plus envie de
rentrer à la maison. Elle voudrait marcher
longtemps et ne plus jamais entendre
parler de la fête costumée.

– **Martine ! On te ramène chez toi ?**
C'est Nicole en voiture avec son
papa. Martine n'ose pas refuser.
Elle monte à côté
de son amie.

– Tu as une drôle de tête, tu es malade ?

– Non, non…

La voiture s'arrête
devant la maison.
Maman est dans le jardin.
Impossible de repartir et
de s'en aller très loin.
– **Mademoiselle Hortense
a téléphoné.**
Ça y est ! le drame.
Martine n'ose plus bouger.

Martine est étonnée de voir maman

lui sourire. Elle n'en croit pas ses oreilles quand elle entend la suite :

– **Tu lui as fait une gentille surprise,** elle est très touchée de ton geste.

Peut-être qu'elle n'a pas encore ouvert le paquet ? Peut-être qu'elle

parle seulement du retour des costumes ?

– J'aurais bien voulu voir cette réparation, ajoute maman ;

il paraît qu'elle est formidable.

– Heu…

– En tout cas, tu as réparé la négligence d'une petite fille qui avait abîmé la robe de tulipe.

Martine ouvre de grands yeux :

– C'était qui ? demande-t-elle.

– Je n'en sais rien. Tu n'as pas écouté mademoiselle Hortense raconter l'histoire pendant que nous buvions le chocolat ?

– Non…

Elle n'a pas entendu.

Sans doute, à ce moment-là, écoutait-elle le vieux monsieur.

– Mademoiselle Hortense n'a pas eu le temps d'arranger l'accroc. Elle avait promis de le faire si tu choisissais ce costume. De soulagement, Martine éclate de rire. Maintenant elle comprend tout. Elle est trop contente de savoir que ce n'est pas elle qui a déchiré la robe.

– Je vais t'expliquer la vérité, déclare-t-elle ensuite à maman.

Celle-ci réalise mieux la situation après l'avoir écoutée :

– Si c'est comme ça, je rappelle mademoiselle Hortense

et je lui annonce que nous avons changé d'idée,

décide-t-elle. Dis-moi seulement en quoi tu préfères

être habillée pour la fête.

– **En tulipe, sourit Martine.**

– D'accord…

Maman court téléphoner.

Martine reste au jardin avec Moustache et Patapouf.

– J'ai le temps de vous coudre des petits manteaux de
satin rose. Je pourrai peut-être même vous fabriquer
des bonnets assortis et vous viendrez avec moi.
Ses deux amis échangent un coup d'œil
inquiet. Parle-t-elle sérieusement ?
Plaisante-t-elle ? Ils espèrent bien que oui…

GILBERT DELAHAYE - MARCEL MARLIER

martine

et le chaton vagabond

À l'occasion de son anniversaire, Martine a reçu un journal.
C'est un cadeau de tante Lucie. Elle y écrit les événements de tous les jours.

Aujourd'hui dimanche 21

Nous sommes allés pique-niquer avec Jean au bord de la rivière. Maman a préparé toutes sortes de bonnes choses. On s'est installés dans la barque de grand-père qui vient souvent pêcher ici.

Il a fait chaud.
On était bien au bord de l'eau,
dans la verdure !

J'aime beaucoup cet endroit. Il y a des poules d'eau, des grenouilles, toutes sortes d'oiseaux et aussi, parfois, des chats perdus, abandonnés par leurs maîtres…

Nous avions le dos tourné quand tout à coup… Un chat sauvage a attrapé une cuisse de lapin. J'étais fâchée. J'ai voulu le chasser.

La barque a basculé. Jean est tombé à l'eau.

– **Hou ! voleur. Va-t'en, vilain chat !**

– Ce n'est pas un chat, a crié Jean qui sortait de l'eau…

C'est une chatte…

Elle attend des petits.

– Ah bon ! Tu crois ?…

Aussitôt, j'ai eu des remords :

« Reviens, reviens, Minouchette ! »

On a réussi à l'amadouer.

La chatte a mangé tout ce qu'elle voulait.

Mes amis, quel appétit !…

Une fois le repas terminé,
Minouchette a fait sa toilette.
– Laissons-la tranquille !

Comme on n'avait plus très faim et qu'il faisait très chaud,
on s'est baignés dans la rivière.

Heureusement, on avait emporté nos maillots. L'eau était tiède et claire.
On s'amusait comme des fous.

À cet endroit se trouve un cabanon.
Grand-père y range ses outils.
C'est très pratique pour se rhabiller.

Mais là, une surprise nous attendait…

La chatte Minouchette s'y était réfugiée pour
mettre bas et maintenant, voilà qu'il y avait
cinq chatons dans le fauteuil de grand-père !

Quelle histoire !

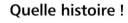

On ne pouvait pas les enfermer dans le cabanon.

Pas question, non plus, de les abandonner sans abri.

Ils étaient si petits, si fragiles !…

– Si on les emmenait à la maison ? dit Jean.

– Penses-tu ! Maman ne voudra jamais !

– Il leur faudrait une niche.

– Cette caisse fera l'affaire.

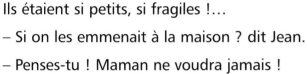

– Mettons-y une vieille
couverture et un coussin
pour que les chatons
n'aient pas froid.

– Là-dedans, ils seront très bien.

Samedi 27

Cette nuit, il a fait un orage terrible. Je me suis réveillée en sursaut.

J'ai couru fermer la fenêtre. La pluie tambourinait sur les vitres. **J'ai vu un arbre s'abattre dans le jardin du voisin…** Il y a eu une panne d'électricité.

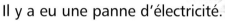

Pauvre Patapouf. Comme il tremblait !

– Est-ce que c'est le déluge ?

– Mais non !… Mais non !…

J'avais beau rassurer Patapouf, **j'étais très inquiète à cause des chatons.** Je me disais : « Si la rivière déborde, ils vont se noyer ?… Si la tempête renverse la caisse, ils seront étouffés dessous, blessés peut-être ? »

Dimanche matin 28. La tempête se calme. Je file à bicyclette jusqu'au cabanon…

Ouf ! Les chatons sont sauvés !
Non, pas tous. Il en manque trois. Que sont-ils devenus ? Les reverra-t-on jamais ?

Quelques semaines plus tard...
Je n'ai pas revu les trois
chatons perdus.
J'ai du chagrin.

Ces deux-là, par contre, grandissent à vue d'œil.
Ils commencent à circuler autour de la caisse.
L'un s'appelle **Boule**. L'autre, c'est **Plume**.
Je les soigne bien. **Boule est très gourmand :**
– Allons, recule ! Il faut laisser manger
ton frère !

Plume est un petit chat timide.
Il ne ferait pas de mal à une
souris. Il ne pèse pas plus lourd
qu'un moineau.
C'est celui-là que je préfère.
**« Comme j'aimerais le
caresser ! »**

Samedi 24

Plume s'amuse avec un rien :
une marguerite, un chiffon de papier,
une plume, un brin de paille.

J'ai tout essayé pour l'apprivoiser.
Mais il se tient toujours sur ses
gardes.
« Faisons semblant de dormir.
Il se laissera peut-être amadouer ?… »
Il s'approche. Il est tout près.
Je vais pouvoir l'attraper.

Quand j'ai voulu le prendre dans mes bras, Plume a bondi comme un ressort.

– **Non, attention ! par là c'est la rivière !...**

Plus on criait, plus il détalait.

Rien ne pouvait l'arrêter. Il courait, courait sans prendre garde au danger.

– Il va tomber à l'eau… Tu crois qu'il sait nager ?

– **Rattrapons-le !**

De l'autre côté de la rivière, Plume a grimpé le long d'un arbre.

Là-haut, pris de panique, il a voulu redescendre.

Mais il n'osait plus bouger.

– Pauvre Plume ! s'il tombe, il va se casser
les reins.

Je ne pouvais pas abandonner
ce petit chat étourdi à son infortune.

Vite, on est allés chercher l'échelle,
près du cabanon.
Elle était trop courte. En plus,
Jean avait le vertige.

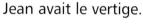

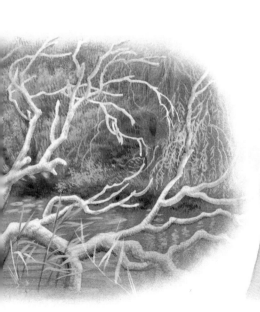

Le chaton miaulait,
miaulait…
Que faire ?

À mon tour, j'ai grimpé dans l'arbre.
– Je viens, Plume, je viens.

C'était haut !
Le vent agitait les branches.
Une guêpe bourdonnait.
J'avais peur.

Jean criait :
– Tiens bon !…
Tu es presque arrivée.

J'étais tout près de
Plume. Il ne pouvait plus
m'échapper. Je l'ai pris dans
mes mains. **Son cœur battait,
battait.**

Je l'ai ramené à terre avec précaution.
Il était sain et sauf. Je l'ai rassuré avec des câlins.
Il s'est laissé cajoler.

Mercredi 5

Plume est devenu mon ami. On s'entend bien, tous les deux.
Chaque fois que je peux, je viens lui tenir compagnie.

Aujourd'hui, rien ne va plus. Minouchette s'est mise en colère. Elle rejette Plume et Boule, car elle attend à nouveau des petits.

Samedi 8

Que vont devenir Plume
et Boule ?
Il faudrait les ramener à la
maison.
Papa est d'accord, mais…

… à une condition :
– Ils nicheront dans la remise !

On allait se mettre en route…
Zut ! zut ! et zut !

Ma bicyclette avait une fuite !
Alors je me suis installée sur
le vélo de Jean.

Nous sommes arrivés au champ de maïs, là où j'avais quitté Plume la dernière fois.

Plus de maïs ! On avait fauché le champ. Où donc était passé Plume ?

– **Là-bas ! Le voilà !**

– Mais tu vois bien que c'est un lièvre !

Le pêcheur, au bord de la rivière, n'avait pas aperçu les chats depuis jeudi.

Plume n'était pas au cabanon. Boule non plus.

Un tracteur passait sur la route.

On a interrogé le fermier.

– **Plume et Boule ?** Bien sûr que je les ai vus. Ils couraient dans le maïs.
J'ai failli les écraser avec mon tracteur. J'ai pensé qu'ils seraient
plus en sécurité dans la grange. Venez donc les voir quand vous voulez.

Dimanche 9 : Nous sommes allés voir Plume et
Boule chez le fermier. On était un
peu tristes. On aurait préféré
les avoir chez nous. Mais on
était rassurés. À la ferme,
ils ne manqueraient de
rien… Et puis, à la
maison, ils se seraient
sûrement bagarrés
avec Moustache.